AF193630

La Fauvette du docteur
& *La Prima Dona*
George Sand

NOVELLIX
— stories to go —

www.novellix.fr

La Fauvette du docteur a été publiée dans *Œuvres illustrées de George Sand*, volume 1, 1852, Éditions Hetzel. *La Prima Dona* a été publiée dans *La Revue de Paris*, numéro 25, 1831.

Couverture : Lisa Benk
Mise en page : Marine Gheeraert
Publié par Novellix, Paris, 2022
Impression : Livonia Print, Riga, 2022
ISBN: 978-91-7589-560-4

Novellix s'investit dans la lutte contre le changement climatique : les livres sont imprimés sur du papier certifié FSC. La production est compensée par un partenariat avec ClimateCalc pour financer le projet de préservation climatique :
Safe Community Water Supply au Rwanda (southpole.com).

La Fauvette du docteur

Nous avions pour hôte à la campagne, il y a quelques années, un vieux docteur que nous aimions, bien qu'il fût insupportable, parce qu'il avait du bon malgré ses manies. Entre autres maussades habitudes, il fuyait la société des femmes. On eût dit qu'il les haïssait, et pourtant la cause de leur émancipation avait en lui un défenseur opiniâtre. Il semblait qu'il se réservât pour le temps où elles seraient dignes d'être admises à l'égalité sociale, car il ne voulut jamais se marier, et lorsque, pour le taquiner, on le lui conseillait, il répondait avec un sérieux admirable : « Plus tard, plus tard ; il n'est pas encore temps pour moi. » Or, il avait quatre-vingt-deux ans. Huit jours avant sa mort, il nous parut tout gai, tout rajeuni, et comme nous en faisions la remarque, il nous déclara, d'un air enjoué, qu'il avait enfin trouvé la compagne de sa vie, et qu'il se sentait véritablement épris, d'autant plus qu'il se croyait parfaitement aimé. Comme rien dans sa vie de cénobite ne nous parut changé, nous prîmes cet excès de fatuité pour une des rares facéties qui déridaient, une ou deux fois par an, son front chagrin. Un matin, il ne vint pas déjeuner, nous allâmes le chercher, et nous le trouvâmes penché et comme assoupi sur ses livres. Un petit oiseau voltigeait dans sa chambre, dont la fenêtre ouverte laissait tomber sur son vieux crâne les rayons joyeux du soleil de juin. Il était mort. En rangeant et en examinant ses papiers, nous trouvâmes les pages suivantes qui étaient restées éparses sur sa table.

24 juin 1837. – « Pauvre petite misérable fauvette, grosse comme une mouche, pesante comme une plume, tombée de ton nid hier soir avant que tes ailes soient poussées, et déjà installée dans le creux de ma main, béquetant mes doigts, et te traînant vers mon sein quand je t'appelle, qui te donne cette confiance, et quel amour comptes-tu donc trouver en moi pour supporter et secourir ta faiblesse ? Ce pli de ma manche où tu te réfugies n'est pas ton nid. Tu ne peux pas te tromper si grossièrement ; tu n'as pas déjà perdu le souvenir de ta famille ; tu entends encore ta mère éplorée qui t'appelle et te cherche sur toutes les branches de l'arbre voisin. Si elle osait, elle volerait jusqu'à ma fenêtre ; si tu pouvais tu irais la rejoindre :

car, je le vois, tu reconnais ses cris ; ton bel œil noir semble prêt à répandre des larmes, ta petite tête, encore chauve, se tourne de tous côtés avec inquiétude, et de ton sein tremblant s'échappent de faibles plaintes. Pauvre enfant, créature si frêle que la nature semble s'être jouée d'elle en lui donnant l'être !

« … Il y a pourtant, dans cet atome emplumé, une parcelle d'intelligence et d'amour… Il y a de la divinité en toi, fauvette de huit jours ! tu regrettes ta mère, et tes frères, et ton père, et ton nid, et ton arbre, et une pâture plus agréable, mieux appropriée à ton organisation délicate que celle que je puis te donner. Tu regrettes, car tu es triste ; tu te souviens, car tu réponds à la voix de ta mère ; tu aimes, par conséquent ! – Et pourtant, tu te soumets ; ta faiblesse intelligente se réfugie dans ma bonté. Tu acceptes mes soins et tu sais les solliciter par un air de confiance et d'abandon qui désarmerait le cœur le plus dur.

« Tu n'es pas belle, hélas ! ta robe cendrée n'a ni éclat, ni variété. Ton duvet inégal, hérissé, les pennes de ta queue encore roulées dans un étui de pellicule te donnent une si pauvre apparence que le premier mouvement que tu provoques en t'approchant, c'est une chiquenaude. Mais la nature a voulu départir l'intelligence à ceux-ci, la beauté à ceux-là. Tandis que mon vanneau promène sans but et sans volonté, d'un air fier et stupide, sa robe d'émeraude et son noir panache, toi, avorton, quasi sans forme et sans couleur, tu sais donner à ton regard et à tes attitudes naïves une expression qui me fait deviner tes besoins et tes désirs. »

26 juin. – « Voici *le Docteur* amoureux pour tout de bon. Il était bien temps. Le voilà pris. Il n'a pas pu écrire trois lignes aujourd'hui. L'objet de son amour n'a fait que gambader sur son papier, sautiller sur sa plume et salir ses manuscrits. Le Docteur s'est levé sept fois de son lit ce matin pour lui attraper des mouches, et les lui faire avaler proprement. Enfin, il est stupide comme un vieillard amoureux. Pauvre docteur ! où diable as-tu été placer tes affections ? Ton idole ne pèse pas un gramme. Il ne faut qu'une antenne d'insecte un peu trop forte pour lui donner une indigestion et la faire descendre au tombeau. Une amante âgée de dix jours ! Ses plumes sont si rares et si courtes que si tu ne la tenais toute la nuit dans ton sein, elle serait morte de froid en plein été. Vieux cœur ! il te reste donc encore assez de feu pour réchauffer une fauvette.

« Il y a longtemps que je ne m'étais attaché aux bêtes comme cela m'arrive cette année. Cela signifie quelque chose. Est-ce que j'aurais pour la centième et dernière fois, déserté le culte de l'intelligence ? Est-ce que celui de la force me serait devenu si odieux que je voudrais irrévocablement retourner à la sollicitude pour les petits ?

« Pourquoi cette bête menue te semble-t-elle si adorable ? – C'est qu'elle vient à ta voix se blottir dans ta main ; c'est qu'elle te connaît ; c'est qu'elle t'aime ; c'est qu'elle te sent bon, secourable et nécessaire… c'est que dix jours ont suffi pour qu'elle s'abandonnât sans retour et sans réserve. – C'est qu'elle ne connaît et n'aime que toi sur la terre aujourd'hui… De qui, docteur, pourrais-tu en dire autant ?

« N'est-ce pas une chose sainte, une loi divine que cet amour de la faiblesse pour la force, et réciproquement de la force pour la faiblesse ? C'est ainsi que la compagne de l'homme chérit ses petits ; c'est ainsi que l'homme devrait chérir sa compagne… Mais il a imaginé de consacrer par des lois de servitude l'inévitable dépendance de la femme, et dès lors, adieu la douceur et la liberté de l'amour ! Quelle femme réclamerait exclusivement la vie de l'esprit, si on lui donnait celle du cœur ? Il est si bon d'être aimé ! Mais on les maltraite, on leur reproche l'idiotisme où on les plonge, on méprise leur ignorance, on raille leur savoir. En amour, on les traite comme des courtisanes ; en amitié conjugale, comme des servantes. On ne les aime pas, on s'en sert, on les exploite ; et on espère ainsi les assujettir à la loi de fidélité ! Quelle erreur ! Si je te maltraitais, ma fauvette, tu irais bientôt sur le plus haut des arbres du jardin, car dans huit jours tu auras de bonnes ailes et l'amour seul te retiendra près de moi. »

La Prima Dona

Dans une des principales hôtelleries de Vérone on vit un soir un mouvement extraordinaire ; des groupes se formaient dans la salle et jusque dans la cour, on parlait avec chaleur : un étranger eût pu croire qu'il s'agissait d'un grand événement politique ; car pour ce peuple restreint à la passion des arts le début d'un chanteur ou le succès d'un opéra sont d'aussi puissants motifs d'intérêt que chez nous le renvoi d'un ministre ou une déclaration de guerre. Or il ne s'agissait rien moins à Vérone ce soir-là que de la rentrée de la signora Gina, jadis les délices de la ville, mais éloignée du théâtre durant plusieurs années ; son nom partait de toutes les bouches accompagné des épithètes de *diva*, de *benedetta*. Un grand silence succéda aux transports. Tous les yeux se tournèrent vers un jeune homme qui venait d'entrer sans rien dire à personne, et qui s'était jeté sur une chaise demi brisée.

Il était beau, mais étrange. Près de lui, sur une table, il avait posé son manteau roulé autour d'une épée, et sa main droite était cachée dans son sein. « Valterna ! » lui cria quelqu'un en lui frappant sur l'épaule. Il ne bougea pas, seulement ses grands yeux noirs se tournèrent lentement vers le cadran de la pendule. « Il n'est pas temps encore », dit-il. Et son regard, un instant animé, se voila de nouveau des longs cils de sa paupière. « Quel est cet homme ? demanda un Français arrivé depuis une heure à Vérone.

— C'est Valterna, lui répondit-on.

— Un officier ? dit le Français en regardant l'épée et les moustaches du jeune homme.

— Non, reprit-on, un dilettante.

— Un voyageur autour du monde, dit un autre.

— Un furieux, un fou, ajouta un troisième en s'éloignant.

— Peut-être pas si fou qu'on le pense, dit le premier qui avait parlé ; mais qui peut savoir la vérité ?…

— C'est une histoire singulière et que nul que lui ne peut raconter. »

Le Français, frappé profondément de l'aspect de Valterna, céda à un sentiment d'intérêt irrésistible en poursuivant ses questions. Les uns lui dirent que c'était l'amant disgracié de la cantatrice Gina, d'autres que c'était l'amant heureux de la duchesse de R**.

— Écoutez, lui dit-on, si vous êtes curieux de le connaître, essayez de le faire parler ; peut-être vous montrera-t-il plus de confiance qu'à un ancien ami, peut-être aussi vous tournera-t-il le dos sans vous répondre ; car il est bizarre, inégal, inexplicable, mais il n'est pas méchant. Avant sa folie c'était un grand cœur. Allez, parlez-lui de Gina. Si une fois vous le mettez en train de raconter, il vous dira beaucoup ; mais on ne peut que médiocrement se fier à ses récits, car il ne sait pas toujours lui-même ce qu'il doit penser de sa vie. »

Le Français s'assit à la même table que Valterna : c'est alors seulement qu'il crut ne pas contempler ses traits pour la première fois. Il se demanda à quelle époque de sa vie le vague souvenir de cet homme devait le reporter, lorsque celui-ci, avec autant d'assurance que s'il l'eût quitté la veille, se jeta dans ses bras en l'appelant son ami, son camarade, son cher Numa. À ce nom, le Français tressaillit ; il crut se retrouver enfant au collège de Montpellier, et serra contre sa poitrine un ancien compagnon dont la figure et le nom s'étaient presque effacés de sa mémoire, mais dont le caractère enthousiaste et sombre marquait comme un trait ineffaçable dans la vie de ceux qui l'avaient une fois rencontré.

« Vous me voyez bien changé, dit-il à son ami après ces premières effusions délicieuses pour deux cœurs qui trouvent l'un dans l'autre le témoignage d'un bonheur perdu ; le chagrin et la maladie m'ont vieilli plus que les années. »

Numa l'interrogea avec cette réserve délicate qui inspire la confiance sans l'exiger. « Gina ! répondit le Véronais ; et un sourire infernal sillonna sa bouche flétrie. Gina ! c'est toute mon histoire.

— Quelle est donc cette Gina dont le nom trouve ici tant d'échos ? dit le Français.

— Vous ne le savez pas ? dit Valterna avec amertume, c'est la duchesse de R★★. »

Numa fit un mouvement de surprise. « Oui, reprit Valterna, la femme du duc de R★★, votre compatriote. N'avez-vous pas entendu dire qu'il s'était marié ici avec une chanteuse ?

— Il est vrai ; je m'en souviens à présent.

— Gina ! pauvre Ginetta ! dit le Véronais ; on a vanté son bonheur, elle fut seule à ne pas y croire. Certes elle pourrait dire tout ce qu'il y a de maux vivants sous l'éclat des richesses… Elle était si belle autrefois, jeune fille chantant chaque soir sur le théâtre de Vérone, puisant le bonheur et la vie dans les applaudissements d'un public qu'elle enivrait de sa voix magique, et qui l'épuisait à son tour des transports de son enthousiasme ; jeune fille si belle à voir et si ravissante à entendre, qu'on ne pouvait la voir et l'entendre à la fois ! Oh ! si vous l'aviez vue paraître, froide d'abord et belle comme une statue antique, absorbant dans son regard toute une foule muette et pâlissante ! si vous aviez vu ses narines se gonfler, ses lèvres frémir, son sein s'agiter aux premiers accords ! puis comme tout à coup sa voix, sortant à flots harmonieux, coulait douce et sonore, ou éclatait forte et passionnée ! Voix du ciel, voix de l'enfer, remuant tous les cœurs, vibrant dans toutes les âmes, les rafraîchissant de suaves mélodies ou les torturant sans pitié d'accents cruels et déchirants ! Moi, je l'ai vue, cette femme, comme un lutteur épuisé de sa victoire, s'arrêter, les bras pendants, les yeux éteints, et l'on eut pu entendre son haleine embrasée s'échapper inégale et pressée de sa gorge haletante ; et la foule était là sans force, sans voix, osant à peine aspirer l'air… Puis c'était comme un rêve dont on sortait par un coup de tonnerre ; il n'y avait qu'un seul cri, qu'un seul enthousiasme, et la jeune fille souriait ; ses mains tremblantes se croisaient sur sa poitrine, et des larmes de bonheur brillaient à ses cils abaissés. »

Valterna laissa tomber sa tête sur son sein.

« Vous l'aimez ! dit le Français en lui pressant la main avec un sentiment d'affection sympathique.

— Oui, elle était ma vie, répondit le jeune homme. La voir et l'entendre, c'était toute ma joie. Avant elle mes jours coulaient tristes et nonchalants, j'existais sans passions, sans tourments, sans désirs : je la vis, je l'entendis, et mes jours se passèrent à désirer le soir, et le soir je sentis à mes larmes que j'étais né pour le bonheur. Les autres l'admiraient, je la bénissais en secret ; ils avaient pour elle l'enthousiasme, pour elle mon âme avait un culte ; elle n'était que le soir de leurs jours, elle était mes jours tout entiers. Oh ! vous ne savez pas ce que c'est que cette existence fade et monotone à laquelle on se laisse aller, vide d'émotions, de sourires et de peines. C'était mon existence à moi, et Gina m'apparut, bienfait et bénédiction ! ma vie s'alluma à son regard, et mon âme engourdie se réveilla aux accents enchanteurs de sa voix. Le croirez-vous ? Jamais ma main n'avait pressé la sienne, je croyais que mon regard n'avait jamais arrêté le sien ; mais elle m'avait donné les émotions qui enivrent et qui tuent ; elle devint un besoin pour moi. Il fallut que chaque soir me rendit le bonheur de la veille. C'était comme une religion que je portais dans mon cœur, une religion à laquelle je vouais la vie qu'elle m'avait donnée. Gina m'avait-elle remarqué ? le bruit de mon admiration fanatique était-il parvenu jusqu'à elle ? son âme d'artiste, son âme enthousiaste et neuve avait-elle rêvé quelquefois à celle qui lui devait ses joies et ses délices ? Je l'ignorai longtemps : mais, étrange bizarrerie de ma destinée ! j'étais heureux, je me disais que l'amour de la gloire remplissait sa vie tout entière et qu'il n'y avait plus en elle de place pour les autres passions. Elle pleurait aux applaudissements d'une foule idolâtre, elle riait à une parole d'amour ; je n'avais donc pas de rival à craindre. Après le bonheur de l'aimer il n'y avait rien de plus enivrant que le bonheur d'être aimé d'elle, je n'y croyais pas, et, persuadé qu'elle dépensait tout son cœur dans ses chants, qu'elle le jetait tout entier sur la scène, je puisais dans l'activité qu'elle avait fait éclore en moi le sentiment exquis et pur d'une félicité sans mélange. Après vous avoir dit mes premières joies sur la terre, je ne vous parlerai ni du bruit que fit dans Vérone mon amour romanesque pour Gina ni des étranges commentaires que chacun hasarda sur mon compte. Le vulgaire ne comprendra jamais ce qui tranche hardiment avec le commun de la vie ; et, comme pour se venger de ne pouvoir comprendre, il s'en rit comme d'une sottise ou s'en étonne comme d'une folie.

« Cependant deux seigneurs étrangers voyageant par manie et s'ennuyant partout, arrivèrent à Vérone. Le plus jeune, le comte de C**, fat par principes, sceptique par ton, doutant de tout, excepté de sa beauté et de ses moyens de séduction ; le plus vieux, le duc de R**, profondément égoïste, saturé de plaisirs, prêt à tout faire, à tout sacrifier pour colorer un peu la vie pâle et morne qu'il promenait depuis dix ans.

» Il n'était bruit alors que de la prima dona. Ne pouvant la partager, les deux seigneurs la tirèrent au sort. Elle échut au duc de R**. Gina se rit et du duc et du sort. Le duc amusa tout Vérone. Son amour-propre fut cruellement blessé. — Je l'aurai ! s'écria-t-il un matin. Le soir elle était à lui ; Gina était duchesse.

» Ne me demandez pas les raisons qui la déterminèrent à échanger son bonheur contre un titre et de l'opulence : je les ai toujours ignorées. Pensa-t-elle s'élever plus haut dans l'opinion en joignant un faux éclat à tant d'éclat solide et réel dont l'entourait son talent ? Eut-elle la faiblesse de se croire au-dessous de ces femmes qui l'applaudissaient tout haut et qui l'enviaient en secret ? Hélas ! elle était plus qu'elles toutes ; elle préféra devenir la dernière d'entre elles.

» Vérone perdit ses soirées de délices. Une fièvre brûlante s'empara de moi, et je n'échappai à la tombe que pour me sentir agité de tous les tourments de l'enfer. Le barbare ! il avait désenchanté ma vie ; et cette femme que j'idolâtrais, cette femme que j'avais respectée jusque dans mes rêves les plus doux, elle était à lui, il l'avait à lui seul ; je voulus mourir.

» Je n'eus pas même la consolation de la savoir

heureuse pour adoucir la douleur qui consumait mes jours. Pauvre Gina ! la plante qui croît sur la montagne périt à l'ombre des vallons. Son mariage fut splendide et triste. On enviait le bonheur de Gina ; elle s'y laissa traîner en tremblant. Dès le premier jour elle se sentit à l'étroit dans cette destinée nouvelle. Adieu cette vie d'artiste si pleine et si brûlante ; adieu les agitations du théâtre, les enivrements de la gloire ! Vint le positif de la vie, froid et sec comme le cœur du riche ; celui de Gina s'y brisa. Pauvre femme ! le luxe et l'opulence ne lui allaient pas ; il fallait à ses larges poumons un air et plus âpre et plus libre. Ses joues se cavèrent, et ses grands yeux bleus se marbrèrent de noir. Triste sans chagrin, on la vit d'abord joyeuse sans gaieté. Si le soir, dans ses salons brillants qui réunissaient toute la noblesse de Vérone, elle s'abandonnait à la verve de son talent, si elle retrouvait ses brûlantes inspirations, vous eussiez vu ses joues se colorer, ses yeux s'animer, quelque chose d'inspiré briller dans ses regards. Qu'elle était belle encore ! On l'entourait alors, on la complimentait, mais son regard s'éteignait tout à coup, et sa tête s'affaissait tristement sur son sein. Ce n'étaient plus cette extase immobile, ce silence contemplatif, ces trépignements frénétiques ; ce n'étaient plus ces femmes brûlant de sa passion et pleurant de ses larmes, ces mouchoirs qui s'agitaient, ce lustre étincelant sous la voûte retentissante, cette pluie de fleurs qui tombait à ses pieds ; ce n'étaient plus ces cris qui la rappelaient sur la scène : dans ses salons tout était froid et morne. En vain chercha-t-elle à vaincre cette rêverie amère qui la consumait ; en vain essaya-t-elle des chants vifs et joyeux : si elle venait à laisser courir ses doigts sur le piano, si elle forçait sa voix à des mesures vives et pressées, bientôt, seule au milieu de la foule étonnée, elle revenait aux noires pensées qui l'assiégeaient sans cesse ; ses doigts erraient lentement sur les touches plaintives, sa voix s'affaiblissait, des phrases d'une harmonie poignante sortaient sourdement de sa poitrine, et les chants commencés dans la joie allaient mourir dans la douleur.

» Bientôt son état empira. En vain son mari l'entourait de tout le bien-être de la vie extérieure, la berçait de toutes les molles aisances que peut donner la fortune : chaque jour emportait un débris de sa beauté ; depuis longtemps c'en était fait de son bonheur. »

Valterna s'interrompit, passa à plusieurs reprises sa main sur son front découvert, regarda la pendule, et continua après quelques instants de silence. Sa voix était altérée ; quelques éclairs de joie traversaient parfois son visage, son cœur semblait bondir d'impatience.

« Je voyageai dans l'espoir de me distraire : je revins plus malheureux que jamais. L'image de Gina m'avait suivi partout comme un génie de malheur attaché à mes pas, comme un remords cramponné à mon cœur ; partout je l'avais retrouvée, partout j'avais entendu sa voix, dans le bruit des vents, dans le murmure des vagues, dans le silence du désert. Gina ! le soleil des sables brûlants m'avait consumé de tous ses feux, j'avais gravi tout sanglant les rochers, j'avais dormi sur la neige des monts, et je n'avais jamais été torturé que de son souvenir. Mon âme s'ulcéra, mon caractère s'aigrit ; je revins à Vérone, mort aux émotions douces. Je ne sentis que colère et fureur au théâtre, à cette place solitaire où j'avais goûté la vie ; dans ces lieux où elle m'avait versé des torrents de délices je n'éprouvais que rage et jalousie.

» La tête de l'infortunée Gina s'était égarée. Malheureuse, son mari l'avait accusée de folie ; folle, il l'accusa d'ingratitude. Il était dans sa nature de s'indigner de tout ce qui froissait son tiède bonheur, de s'irriter des maux d'autrui, non par pitié, mais par égoïsme. Il vint un temps où la pauvre femme se levait toutes les nuits, pâle et silencieuse, s'habillait lentement, bouclait avec soin ses longs cheveux noirs, et, après avoir contemplé avec un sourire mélancolique la glace qui l'avait autrefois réfléchie si fraîche et si belle, elle parcourait les vastes appartements de son palais ; et tout à coup elle s'arrêtait, se croyant sur la scène, pensant avoir un public à remuer, des couronnes à recevoir ; elle était tour à tour Anna, Juliette, Aménaïde ; sa voix s'élevait sous la voûte sonore, les modulations les plus suaves sortaient de ses lèvres, et les phrases harmonieuses coulaient, douces et cadencées, comme l'eau murmurant sur les cailloux polis. On dit que parfois, lorsque ses chants avaient cessé, ses yeux inquiets et hagards semblaient interroger la foule, qu'elle répondait par un long cri au silence de mort qui régnait autour d'elle, et qu'elle tombait alors, froide comme la pierre qu'allait frapper sa tête échevelée.

» On assure qu'à cette époque ma raison se troubla. Il est certain qu'une étrange rêverie s'empara de mon cerveau : je ne sais par quelle fatalité je vins à croire que Gina m'aimait, qu'en des temps plus heureux ma tête avait reposé sur son sein, qu'elle m'appelait encore dans le silence embrasé de ses nuits. Que vous dirai-je ? J'étais fou, fou de malheur. Je ne sais ce que je résolus, mais, un soir que le duc de R** donnait une fête aux seigneurs de Vérone, je me mêlai à la foule élégante qui se pressait dans la cour de son palais, et je glissai inaperçu à travers les colonnes de marbre. Bientôt la fraîcheur parfumée du soir caressa mon visage, et je me trouvai dans les allées ombreuses d'un jardin immense et désert. J'errai longtemps, sombre et soucieux, aux sons de la mandoline, aux refrains de *la Tarentaise* ; et, lorsque je secouai les idées vagues et pénibles qui m'oppressaient comme un cauchemar, les chants de fête avaient cessé, les flambeaux étaient éteints, et le palais s'élevait devant moi, silencieux comme une tombe. Rafraîchi par la brise, qui m'apportait les parfums des cytises, la tête plus calme et les sens reposés, j'en contemplais la façade d'architecture composite sans chercher à me rendre compte de l'endroit où je me trouvais et des motifs qui m'y avaient conduit, lorsque j'aperçus à travers les larges carreaux l'éclat d'une lumière qui tremblait, blanche et triste, sur des rideaux de velours cramoisi. Une voix s'éleva dans le silence de la nuit, et l'air vint en frémissant se briser sur les vitres, qui, frappées en même temps des rayons de la lune, brillaient de mille facettes d'argent. Je tressaillis : c'était sa voix céleste ! Je sentis mon cœur rajeuni s'épanouir comme en ses beaux jours : c'était Gina ! je l'entendais encore ! Plusieurs portes de glace roulèrent sur leurs gonds ; la voix s'approcha, plus grave et plus sonore ; l'herbe fraîche fléchit en criant, un frôlement de robe agita le feuillage, et à travers les citronniers et les myrtes je vis Gina s'avancer lentement, pâle, les cheveux séparés sur le front en deux bandeaux noirs et luisants et éclairés par la lune, qui, bizarrement découpée par les nuages, jouait de ses rayons capricieux avec les plis de son vêtement blanc. Son aspect me fascina, et je restai immobile, les mains tendues vers elle.

Ses bras étaient nus, ses épaules à moitié découvertes, et sa robe fine et légère dessinait la maigreur diaphane de ce corps que depuis si longtemps l'âme fatiguait et brisait sans cesse. Elle alla s'asseoir sur un tertre de gazon humide, et là, appuyée sans art, presque sans grâce, d'une voix triste et plaintive elle chanta la romance du *Saule*. C'était Desdemona, la Desdemona de Shakspeare, mélancolique comme la nuit, qui semblait gémir avec elle, pressentant sa terrible destinée, la prédisant dans chacun de ses accents, la racontant dans chacun de ses regards. Je l'écoutais dans une muette extase ; tout à coup elle poussa un cri délirant, et je frissonnai. Elle avait vu dans l'ombre surgir une figure froidement atroce : elle venait d'apprendre qu'il fallait mourir ! Oh ! il fallait la voir, naïve comme la peur d'un enfant ou amère comme le mépris, passer de la crainte qui supplie à l'indignation qui foudroie, et se dresser, grande et terrible, dans sa fierté de femme outragée ! et puis, comme une pauvre fille qui a besoin d'amour et de pardon, il fallait la voir arrondir ses bras souples et blancs comme pour enlacer le cou rude et basané du barbare, le menacer, le prier encore, et, glacée de terreur, tomber à ses pieds, palpitante comme la colombe sous la serre cruelle du vautour ! et ses larmes mélodieuses, ses énergiques protestations, ses lamentables cris, si vous les aviez entendus !... Pleure, pleure, pauvre Vénitienne ! C'était bien la peine de quitter ta patrie et ton père et ta gloire pour ce monstre altéré de sang ! Ton heure est venue ; le poignard est bien luisant, la nuit est bien sombre... Pauvre Vénitienne, il faut mourir ! — Mourir ! elle fuyait, pâle, les yeux égarés, sublime... et au moment où l'amour de la vie déployait dans toute sa vigueur la puissante énergie de ses moyens, au moment où sa voix poignait l'âme de toute l'harmonie déchirante de ses accents, elle s'arrêta, comme frappée d'une commotion électrique, le regard fixe, le cou tendu, immobile et froide comme une statue de marbre. — L'orchestre ne va pas, murmura-t-elle lentement, les lumières pâlissent ; tout est muet autour de moi !... Oh ! mon Dieu ! s'écria-t-elle avec désespoir, lui aussi ! — et sa main semblait indiquer une place où ses yeux se reposaient tristement. — Lui aussi il se tait ! lui dont j'étais la vie ! ajouta-t-elle d'une voix mystérieuse... Pourquoi donc ?... Je brûlais : je m'élançai vers elle, je voulus l'attirer sur mon sein ; mais à peine eus-je touché son vêtement qu'elle frissonna de la tête aux pieds et ses traits peignirent une souffrance physique qui me glaça d'effroi. — Reste ! oh ! reste, m'écriai-je, Gina ! j'ai tant souffert ! Oh ! viens ! plus près encore, ma Gina, mon amour ! Souffrances, tourments, peines amères, un chant de ta voix a tout emporté !… Elle me regarda d'un air étonné ; une de ses mains s'appuya sur son cœur, l'autre sur son front, et elle eut l'air de chercher à se ressouvenir. — Oh ! je te connais bien ! dit-elle… Mon regard était étincelant, ma voix forte et brève ; la terre fuyait sous mes pieds. Je voulus saisir Gina dans mes bras ; mais elle poussa un cri perçant, et, s'arrachant à mes étreintes, elle glissa comme une ombre à travers le feuillage. Je courus vainement sur ses pas ; mais la lune n'éclairait plus, la nuit était noire. Furieux, égaré, après avoir escaladé le mur du jardin et parcouru longtemps les rues désertes de Vérone sans savoir où j'allais, sans chercher à le savoir, je rentrai chez moi, j'eus la fièvre. J'ignore ce que je devins, et les jours s'écoulèrent sans que j'en marquasse le cours.

» Rendu à la vie et à la raison, cette nuit de délire me poursuivit d'abord de paroles vagues et mystérieuses. Je me rappelais qu'autrefois tout Vérone avait parlé de la passion sympathique que la prima dona nourrissait pour moi. Incrédule comme autrefois, je souriais de mes souvenirs ; mais au moins j'avais marqué dans la vie de Gina, je n'avais point traversé son existence comme une joie qui passe et qu'on oublie, comme un jour qu'un autre jour efface. Puis une incertitude effrayante me plongea dans mille tourments. Je songeai à mes jours de folie : je me crus abusé par les rêves fantasques de la fièvre qui m'agitait alors ; cette nuit de délices disparut dans un lointain douteux ; ma tête, trop faible pour tant de bonheur, le rejeta bientôt sans y croire ; et cependant, ange déchu, je ne sais quelle idée confuse du ciel vivait en moi ; j'ignore à quels souvenirs du passé mon sang refluait violemment vers mon cœur. Je fus longtemps souffrant et faible. Dès que j'eus retrouvé des forces, je voulus revoir encore ce théâtre où j'allais autrefois pour vivre. Je m'y traînai avec peine, et je tombai accablé de fatigue sur le dernier banc. Gina remplissait encore cette salle déserte, et le passé se dressa tout vivant devant moi. Hélas ! je ne vous dirai ni ma joie ni mes peines. Qui n'a pas revu, après des jours de tourmente et d'orage, les lieux où s'écoula la fraîche matinée de la vie ? qui n'a pas eu à y pleurer sur des souvenirs et des tombes ?

» Le rideau n'était pas levé, les premiers accords de l'ouverture n'avaient pas encore fait passer le frisson sur toutes les âmes, lorsqu'un mouvement semblable se communiqua à l'assemblée : tous les regards se portèrent avec intérêt, avec une admiration mêlée de pitié vers une loge d'avant-scène où venait d'apparaître une femme voilée. Je n'eus pas besoin d'entendre prononcer son nom pour la reconnaître ; son apparition apportait dans le cœur comme un souvenir des mélodies du ciel. Je n'écoutai pas le *Don Juan* qu'on jouait sur la scène, et pourtant toutes les émotions de cette œuvre sublime passèrent dans mon cerveau exalté. Je m'étais approché jusqu'au banc adossé contre cette loge, où Gina s'enivrait douloureusement des triomphes d'autrui. Là, tout près d'elle, je respirais ses parfums, je comptais les palpitations de son sein. La cantatrice qui remplissait le rôle de dona Anna fut applaudie avec transport : je secouai tristement la tête, et je fus froissé de dépit ; j'étais jaloux comme si la gloire de Gina m'eût appartenu, comme si c'eût été me voler que d'en donner à une autre qu'elle. Mais Rosetta était l'amie de Gina ; plus jeune qu'elle de quelques années, elle avait reçu ses leçons ; elle lui devait son talent, son succès, et peut-être aussi le sentiment élevé d'une reconnaissance généreuse et délicate. Gina l'encourageait de ses regards et de ses gestes. Le triomphe de la jeune débutante fut complet ; elle fut redemandée et couronnée à la fin de la pièce. Alors, modeste et touchante, elle s'approcha de la loge d'avant-scène et tendit la couronne à son amie, qui la refusa. Je la ramassai comme elle tombait des mains de Rosetta, et, me penchant vers celle dont une faible barrière me séparait, je la posai sur sa tête en m'écriant : « À Gina, à la reine du chant ! » Un tonnerre d'applaudissements me répondit. Gina s'était levée, faible, émue, malade, mais radieuse de joie. Elle appuya une main sur mon épaule ; au milieu de l'enivrement de sa gloire, elle eut un regard pour moi ; sa bouche murmura faiblement mon nom. Aussitôt elle fut entraînée par le duc de R**, qui s'élança, sombre et mécontent, au milieu de cette scène de délire, et vint arracher sa femme aux rapides instants de joie qu'elle venait de retrouver.

» Ce n'était donc pas un songe, une vision de mes nuits agitées : Gina savait mon nom, mon amour ; peut-être aussi se rappelait-elle confusément m'avoir parlé dans une de ses nuits de fièvre et d'égarement. Une rapide espérance me rendit la raison : je fis des projets comme eût pu les faire un homme dans son bon sens, je prêtai intérêt aux choses extérieures, je compris ce qui se passait autour de moi. Gina se mourait : je passai mes jours et mes nuits à songer aux moyens de lui rendre la vie. J'entendis parler d'un célèbre médecin qui venait d'arriver de Londres et qui était descendu dans cette hôtellerie : je vins le trouver.

— Si vous la sauvez, lui dis-je, je suis à vous. Ce n'est pas seulement ma fortune que je vous donnerai, c'est mon sang, c'est mon cœur, c'est ma vie qui vous appartiendront. — Le médecin m'interrogea. On l'avait déjà fait appeler auprès de la duchesse de R** : il l'avait trouvée au dernier période d'une maladie de langueur dont il ignorait la cause. Ce n'est pas le duc de R** qui la lui aurait apprise : je m'en chargeai pour lui. — Ne voyez-vous pas, lui dis-je, que cette âme d'artiste, avide de secousses et d'émotions, languit et meurt dans la fastueuse indolence des grandeurs où on l'a reléguée ? La cantatrice est devenue duchesse, et l'on demande pourquoi Gina se meurt d'ennui et de dégoût ! C'est la gloire qu'il lui faut : qu'on la rende à son élément, et vous la verrez refleurir.

» Le médecin parla. Le duc repoussa d'abord cette idée avec hauteur. Il vit sa femme près de mourir ; elle était nécessaire à son bonheur : il fit pour lui-même ce qu'il n'eût pas fait pour elle, il promit tout. L'espoir et la joie ont donné un peu de force à Gina. Ce soir elle est rendue au théâtre, à Vérone, à la vie ; dans un instant je vais l'entendre… Mon ami, dites-moi, pensez-vous qu'on meure de bonheur ? »

La pendule sonna sept heures : la foule se précipita hors de l'hôtellerie et se porta vers le théâtre. Valterna agrafa son épée, jeta son manteau sur lui, saisit convulsivement le bras du Français et fut s'asseoir à l'orchestre. L'ouverture de *Romeo e Giuletta* finie, le rideau se leva lentement, l'orchestre se tut ; et tel fut le religieux silence qui régnait dans la salle qu'on put entendre frémir longtemps les derniers accords s'élevant légers comme un nuage, planant sur la foule immobile, et se brisant sur la voûte comme les ondulations de l'eau agitée contre la pierre du bassin qui l'enferme. Lorsque Gina parut tous les fronts se découvrirent, et d'un mouvement spontané la foule se leva comme un seul homme. Pas un cri, pas un murmure, elle était muette. Il n'y eut alors ni joie ni enthousiasme, il n'y eut qu'attendrissement et pitié ; et ce fut un touchant spectacle que de voir tous ces visages empreints d'une commune douleur au milieu de cette salle parée de luxe et d'élégance. Gina s'avança à pas lents, les bras maigres, les yeux éteints et les joues caves, mais plus belle que jamais de la beauté qu'elle avait perdue, belle de ses longues souffrances, de son long veuvage de gloire, belle comme la jeune épouse qui sort de ses habits de deuil, pâle et les yeux brûlés de larmes. Mais lorsqu'elle fut arrivée sur le bord de la scène et que, simple et naïve, elle se fut inclinée, alors, comme la bombe tombant avec fracas sur les pavés d'une ville endormie, la foule éclata tout à coup. La clarté des lumières vacilla au bruit des longs cris d'enthousiasme ; les fleurs pleuvaient, les loges étincelaient de pierreries, les écharpes blanches et roses s'agitaient dans l'air embaumé. Gina était sublime alors : les yeux brillants, dévorée d'inspiration, victime haletante sous le génie qui la pressait, les ressorts de son âme ardente reprenaient toute la verve, toute la hardiesse de la jeunesse, plus énergiques, plus brûlants que jamais, comme la force élastique qui, longtemps comprimée, ne bondit qu'avec plus de violence. Qu'elle était belle avec sa figure pâle et passionnée, avec son sein qui palpitait, impatient d'harmonie ! Elle chanta comme jamais elle n'avait chanté en ses plus beaux jours. Dans tout le cours de la pièce, exaltée par les applaudissements frénétiques, elle s'éleva au-dessus de tout ce que l'Italie avait produit de génie et de mélodie. Surprise elle-même de la puissance de ses moyens, elle dit à Rosetta, dans le dernier entr'acte, qu'il lui semblait qu'une autre voix que la sienne, une voix magique s'exhalait, mâle et pleine, de ses poumons élargis. Rosetta remplissait le rôle de Roméo. Sa belle voix de contralto, grave et sonore, avait été cultivée par les soins de la duchesse de R** : maintenant elle partageait son triomphe, son enthousiasme et ses inspirations. Elle-même l'arrangea dans le cercueil qui renferme, au dernier acte, Giuletta endormie, sous les fausses apparences du trépas. Elle détacha ses longs cheveux noirs, arrangea la couronne de roses blanches sur son front, et, l'embrassant avec tendresse : « Heureuse et guérie !» lui dit-elle. Et Gina lui sourit en la pressant sur son cœur. La foule attendait : le rideau se releva aux accords lugubres d'un chant de mort. Roméo paraît, chante le beau récitatif du dernier acte, ôte le couvercle du sépulcre, y trouve son amante à la place de l'ennemi qu'il a tué, se tord les bras avec une pathétique énergie d'effroi et de désespoir, boit le poison qui doit le réunir à Juliette, revient à elle pour lui adresser un dernier adieu, la soulève dans ses bras… Ici le public interdit se leva. Rosetta avait poussé un cri de terreur, et le corps qu'elle avait soulevé retomba lourd et roide dans le cercueil où Juliette devait se réveiller… Juliette ne se réveilla pas. Tant d'émotions longtemps perdues, longtemps désirées, retrouvées et senties avec tant de puissance avaient brisé ce corps épuisé de maladie : Gina était morte aux accords suaves et religieux de Zingarelli, au milieu du dernier et du plus beau de ses triomphes. Deux hommes comprirent les premiers la vérité : ils s'élancèrent sur la scène par deux côtés différents. Le second fut le duc de R** ; le premier avait été Valterna, qui, rugissant de douleur, alla s'éteindre aux pieds de Juliette.